S0-ABB-141

MIS PRIMERAS PÁGINAS

Título original: *La mucca Moka e la bufera di neve*

© Agostino Traini
© Edizioni EL, 2006 (obra original)
© Hermes Editora General S. A. U. – Almadraba Infantil Juvenil, 2009
www.almadrabalij.com
© Clara Vallès, por la traducción del italiano
Este libro fue negociado a través de Ute Körner Literary Agent, S. L., Barcelona
(www.uklitag.com)

Primera edición: febrero de 2009
Primera reimpresión: septiembre de 2012

ISBN: 978-84-9270-237-4
Depósito legal: B-26.320-2012

Printed in Spain

LA VACA SARA
Y LA TORMENTA
DE NIEVE

Agostino Traini

Almadraba
INFANTIL | JUVENIL

HOY HACE UN DÍA PRECIOSO.

EL MAESTRO ANTONIO
SE VA DE EXCURSIÓN
CON LOS NIÑOS.

LA VACA SARA
LES PREGUNTA:
«¿ADÓNDE VAIS?».

«¡SUBIREMOS A LA CIMA
DE LA MONTAÑA
PUNTIAGUDA!»,
LE CONTESTA EL MAESTRO.

UNA NUBE APARECE
EN EL CIELO.

SARA DICE: «¡VA A LLOVER!».

«NO PUEDE SER,
SI SOLO ES UNA NUBECITA»,
DICE LA CULEBRA VICENTA.

«¡HUELE A TORMENTA,
A RELÁMPAGOS Y A NIEVE!»,
DICE EL CARACOL CARLOS.

EL CARACOL CARLOS
NUNCA SE EQUIVOCA.

DE REPENTE,
EL CIELO SE PONE NEGRO
Y ESTALLA LA TORMENTA.

SARA LE GRITA A LA NUBE:
«¡ESTATE QUIETA!
¡ARRIBA, EN LA MONTAÑA,
HAY NIÑOS!».

EL NUBARRÓN LE CONTESTA:
«LO SIENTO, SARA, PERO
HOY TENGO QUE HACER
UNA TORMENTA DE NIEVE».

LA LLUVIA SE CONVIERTE
EN NIEVE Y EMPIEZA
A HACER MUCHO FRÍO.

SARA ESTÁ PREOCUPADA
POR ANTONIO Y LOS NIÑOS.

«¡TENGO QUE AVISAR
A LOS GUÍAS DE MONTAÑA!»,
PIENSA SARA,
Y CORRE HACIA EL PUEBLO.

SARA LLEGA AL PUEBLO
Y AVISA A PEDRO, A SILVIA
Y A DANI.

PEDRO, SILVIA Y DANI SON
GUÍAS Y CONOCEN BIEN LOS
PELIGROS DE LA MONTAÑA.

«¡VAMOS, NO PODEMOS
PERDER NI UN MINUTO!»,
DICE PEDRO.

«¡BUENA SUERTE!»,
DICE SARA.

PEDRO, SILVIA Y DANI
EMPIEZAN A SUBIR
POR LA MONTAÑA
PUNTIAGUDA.

EL CAMINO ESTÁ CUBIERTO
DE NIEVE, Y LOS TRES GUÍAS
AVANZAN CON ESFUERZO.

«¡HAY MUCHA NIEVE!»,
DICE PEDRO.

«¡VAMOS DEMASIADO
LENTOS!», DICE DANI.

«¡NO LLEGAREMOS
NUNCA!», DICE SILVIA.

PERO ENTONCES LLEGA
CORRIENDO LA VACA SARA.

«¡SARA HA VENIDO
A AYUDARNOS!», DICE SILVIA.

«¡SARA SUBE
POR LA MONTAÑA
COMO UNA MOTO
DE NIEVE!», DICE DANI.

«¡SARA ES UNA AUTÉNTICA
VACA DE MONTAÑA!»,
DICE PEDRO.

«¡PONEOS DETRÁS DE MÍ!»,
DICE SARA.

SARA AVANZA DEPRISA
POR LA NIEVE Y VA
ABRIENDO UN CAMINITO.

PEDRO, SILVIA Y DANI
VAN DETRÁS DE SARA.

«¡ASÍ ES MÁS FÁCIL!»,
DICE PEDRO.

«¡ASÍ ES MÁS RÁPIDO!»,
DICE SILVIA.

«¡ASÍ ES MÁS SEGURO!»,
DICE DANI.

SARA, PEDRO, SILVIA
Y DANI LLEGAN AL BORDE
DE UN PRECIPICIO.

«¿DÓNDE ESTÁ EL PUENTE?»,
PREGUNTA SILVIA.

«¡SE HA CAÍDO POR EL PESO
DE LA NIEVE!», DICE PEDRO.

«¡SUBÍOS ENCIMA DE MÍ!»,
DICE SARA.

LUEGO COGE IMPULSO
Y SALTA EL BARRANCO.

«¡ESTAMOS AQUÍ!», GRITAN
ANTONIO Y LOS NIÑOS
DESDE UNA CUEVA.

ANTONIO Y LOS NIÑOS
SE ENCUENTRAN BIEN,
PERO ESTÁN EMPAPADOS
Y MUERTOS DE FRÍO.

«¡OS TRAEMOS ROPA SECA!»,
DICE DANI.

ANTONIO Y LOS NIÑOS
SE PONEN LA ROPA SECA.

SARA SACA DE SU BOLSA
UN HORNILLO, UN CAZO,
TAZAS, AZÚCAR Y CACAO.

LUEGO, CON SU LECHE
RICA Y AROMÁTICA,
SARA PREPARA CHOCOLATE
CALIENTE PARA TODOS.

POR FIN DEJA DE NEVAR
Y SALE EL SOL.

ES HORA DE VOLVER A CASA.

«SEGUIDME», DICE SARA.
«¡AHORA VAMOS
A DIVERTIRNOS!»

Y TODOS VAN RESBALANDO
DEPRISA HACIA EL PUEBLO
POR LA PISTA QUE
HA ABIERTO SARA.

...¡Y AHORA,
A JUGAR!

SARA Y LOS GUÍAS DE MONTAÑA
TIENEN QUE SALVAR A ANTONIO

Y A LOS NIÑOS. AYÚDALOS A ENCONTRAR EL CAMINO.

SARA QUIERE PREPARAR CHOCOLATE CALIENTE.

POLLO ASADO ☐

QUESO ☐

UVAS ☐

CACAO ☐

EMBUTIDOS ☐

PATATAS ☐

ZANAHORIAS ☐

PESCADO ☐

AZÚCAR ☐

PLÁTANOS ☐

ACEITE ☐

LECHE ☐

MANZANA ☐

GUISANTES ☐

AYÚDALA A ENCONTRAR LOS INGREDIENTES.

PEPINO ☐

LECHUGA ☐

SANDÍA ☐

CEREZAS ☐

TOMATE ☐

PAN ☐

TARTA ☐

HUEVOS ☐

LIMÓN ☐

SPÁRRAGOS ☐

FRESAS ☐

NABO ☐

BUSCA EN LAS PÁGINAS
DEL LIBRO Y EN LA CUBIERTA
TODOS ESTOS DETALLES.

ORDENA EL CUENTO
DE LA VACA SARA
Y LA TORMENTA DE NIEVE

○ ○ ○

○ 1 ○

ESCRIBIENDO LOS NÚMEROS DEL 1 AL 12 DEBAJO DE LAS VIÑETAS.

MIS PRIMERAS PÁGINAS

PUEDES SEGUIR JUGANDO
CON LA VACA SARA EN
www.misprimeraspaginas.com

ENTRA Y DESCARGA
LA **FICHA DE LECTURA** Y MÁS
PROPUESTAS DE ACTIVIDADES.